# PASCAL

# Discours sur les passions de l'amour

Avec une postface de
**Jérôme Vérain**

Couverture et illustrations de
Lirio Garduno-Buono

## ÉDITIONS MILLE ET UNE NUITS

PASCAL
n°53

Texte intégral.

ISBN : 2-910233-70-7

# Sommaire

# PASCAL

# Discours sur les passions de l'amour

# Discours sur les passions
## de l'amour

L'homme est né pour penser ; aussi n'est-il pas un moment sans le faire ; mais les pensées pures, qui le rendraient heureux s'il pouvait toujours les soutenir, le fatiguent et l'abattent. C'est une vie unie à laquelle il ne peut s'accommoder ; il lui faut du remuement et de l'action, c'est-à-dire qu'il est nécessaire qu'il soit quelquefois agité des passions, dont il sent dans son cœur des sources si vives et si profondes.

Les passions qui sont le plus convenables à l'homme et qui en renferment beaucoup d'autres, sont l'amour et l'ambition : elles n'ont guère de liaison ensemble. Cependant on les allie souvent ; mais elles s'affaiblissent l'une l'autre réciproquement, pour ne pas dire qu'elles se ruinent.

Quelque étendue d'esprit que l'on ait, l'on n'est capable que d'une grande passion, c'est pourquoi, quand l'amour et l'ambition se rencontrent ensemble, elles ne sont grandes que de la moitié de ce qu'elles seraient s'il n'y avait que l'une ou l'autre. L'âge ne détermine point ni le commencement, ni la fin de ces deux passions ; elles naissent dès les premières années, et elles subsistent bien souvent jusqu'au tombeau. Néanmoins, comme elles demandent beaucoup de feu, les jeunes gens y sont plus propres, et il semble qu'elles se ralentissent avec les années ; cela est pourtant fort rare.

La vie de l'homme est misérablement courte. On la compte depuis la première entrée au monde ; pour moi je ne voudrais la compter que depuis la naissance de la raison, et depuis qu'on a commencé à être ébranlé par la raison, ce qui n'arrive pas ordinairement avant vingt ans. Devant ce terme l'on est enfant ; et un enfant n'est pas un homme.

Qu'une vie est heureuse quand elle commence par l'amour et qu'elle finit par l'ambition ! Si j'avais à en choisir une, je prendrais celle-là. Tant que l'on a du feu, l'on est aimable ; mais ce feu s'éteint, il se perd : alors, que la place est belle et grande pour l'ambition ! La vie tumultueuse est agréable aux grands esprits, mais ceux qui sont médiocres n'y ont aucun plaisir ; ils sont machines partout. C'est pourquoi, l'amour et l'ambition commençant et finissant la vie, on est dans l'état le plus heureux dont la nature humaine est capable.

À mesure que l'on a plus d'esprit, les passions sont plus grandes, parce que les passions n'étant que des sentiments et des pensées, qui appartiennent purement à l'esprit, quoiqu'elles soient occasionnées par le corps, il est visible qu'elles ne sont plus que l'esprit même, et qu'ainsi elles remplissent toute sa capacité. Je ne parle que des passions de feu, car pour les autres, elles se mêlent souvent ensemble et causent une confusion très incommode ; mais ce n'est jamais dans ceux qui ont de l'esprit.

Dans une grande âme tout est grand.

L'on demande s'il faut aimer. Cela ne se doit pas demander : on le doit sentir. L'on ne délibère point là-dessus, l'on y est porté, et l'on a le plaisir de se tromper quand on consulte.

La netteté d'esprit cause aussi la netteté de la passion ; c'est pourquoi un esprit grand et net aime avec ardeur, et il voit distinctement ce qu'il aime.

Il y a de deux sortes d'esprits, l'un géométrique, et l'autre que l'on peut appeler de finesse.

Le premier a des vues lentes, dures et inflexibles ; mais le dernier a une souplesse de pensée qui l'applique en même temps aux diverses parties aimables de ce qu'il aime. Des yeux il va jusqu'au cœur, et par le mouvement du dehors il connaît ce qui se passe au-dedans.

Quand on a l'un et l'autre esprit tout ensemble, que l'amour donne de plaisir ! Car on possède à la fois la force et la flexibilité de l'esprit, qui est très nécessaire pour l'éloquence de deux personnes.

Nous naissons avec un caractère d'amour dans nos cœurs, qui se développe à mesure que l'esprit se perfectionne, et qui nous porte à aimer ce qui nous paraît beau sans que l'on nous ait jamais dit ce que c'est. Qui doute après cela si nous sommes au monde pour autre chose que pour aimer ? En effet, on a beau se cacher à soi-même, l'on aime toujours. Dans les choses mêmes où il semble que l'on ait séparé l'amour, il s'y trouve secrètement et en cachette ; et il n'est pas possible que l'homme puisse vivre un moment sans cela.

L'homme n'aime pas demeurer avec soi ; cependant il aime : il faut donc qu'il cherche ailleurs de quoi aimer. Il ne le peut trouver que dans la beauté ; mais comme il est lui-même la plus belle créature que Dieu ait jamais formée, il faut qu'il trouve dans soi-même le modèle de cette beauté qu'il cherche au dehors. Chacun peut en remarquer en soi-même les premiers rayons ; et selon que l'on s'aperçoit que ce qui est au dehors y convient ou s'en éloigne, on se forme les idées de beau et de laid sur toutes choses. Cependant, quoique l'homme cherche de quoi remplir le grand vide qu'il a fait en sortant de soi-même, néanmoins il ne peut pas se satisfaire par toutes sortes d'objets. Il a le cœur trop vaste ; il faut au moins que ce soit quelque chose qui lui ressemble, et qui en approche le plus près. C'est pourquoi la beauté qui peut contenter l'homme consiste non seulement dans la convenance, mais aussi dans la ressemblance : elle la restreint et elle l'enferme dans la différence du sexe.

La nature a si bien imprimé cette vérité dans nos âmes que nous trouvons cela tout disposé ; il ne faut point d'art ni d'étude ; il semble même que nous ayons une place à remplir dans nos cœurs et qui se remplit effectivement. Mais on le sent mieux qu'on ne peut le dire. Il n'y a que ceux qui savent brouiller et mépriser leurs idées qui ne le voient pas.

Quoique cette idée générale de la beauté soit gravée dans le fond de nos âmes avec des caractères ineffaçables, elle ne laisse pas que de recevoir de très grandes différences dans l'application particulière ; mais c'est seulement pour la manière d'envisager ce qui plaît. Car l'on ne souhaite pas nuement une beauté ; mais l'on y désire mille circonstances qui dépendent de la disposition où l'on se trouve ; et c'est en ce sens que l'on peut dire que chacun a l'original de sa beauté, dont il cherche la copie dans le grand monde. Néanmoins les femmes déterminent souvent cet original ; comme elles ont un empire absolu sur l'esprit des hommes, elles y dépeignent ou les parties des beautés qu'elles ont ou celles qu'elles estiment, et elles ajoutent par ce moyen ce qui leur plaît à cette beauté radicale. C'est pourquoi il y a un siècle pour les blondes, un autre pour les brunes ; et le partage qu'il y a entre les femmes sur l'estime des unes ou des autres fait aussi le partage entre les hommes dans un même temps sur les unes et les autres.

La mode même et les pays règlent souvent ce que l'on appelle beauté. C'est une chose étrange que la coutume se mêle si fort de nos passions. Cela n'empêche pas que chacun n'ait son idée de beauté sur laquelle il juge des autres, et à laquelle il les rapporte ; c'est sur ce principe qu'un amant trouve sa maîtresse plus belle, et qu'il la propose comme exemple.

La beauté est partagée en mille différentes manières. Le sujet le plus propre pour la soutenir, c'est une femme : quand elle a de l'esprit, elle l'anime et la relève merveilleusement.

Si une femme veut plaire, et qu'elle possède les avantages de la beauté, ou du moins une partie, elle y réussira ; et même si les hommes y prenaient tant soit peu garde, quoiqu'elle n'y tâchât point, elle s'en ferait aimer. Il y a une place d'attente dans leur cœur, elle s'y logerait.

L'homme est né pour le plaisir : il le sent, il n'en faut point d'autre preuve. Il suit donc sa raison en se donnant au plaisir. Mais bien souvent il sent la passion dans son cœur sans savoir par où elle a commencé.

Un plaisir vrai ou faux peut remplir également l'esprit ; car qu'importe que ce plaisir soit faux, pourvu que l'on soit persuadé qu'il est vrai ?

À force de parler d'amour, on devient amoureux ; il n'y a rien si aisé, c'est la passion la plus naturelle à l'homme.

L'amour n'a point d'âge ; il est toujours naissant. Les poètes nous l'ont dit ; c'est pour cela qu'ils nous le représentent comme un enfant. Mais sans leur rien demander, nous le sentons.

L'amour donne de l'esprit et il se soutient par l'esprit. Il faut de l'adresse pour aimer. L'on épuise tous les jours les manières de plaire ; cependant il faut plaire, et l'on plaît.

Nous avons une source d'amour-propre qui nous représente à nous-mêmes comme pouvant remplir plusieurs places au dehors ; c'est ce qui est cause que nous sommes bien aises d'être aimés. Comme on le souhaite avec ardeur, on le remarque bien vite, et on le reconnaît dans les yeux de la personne qui aime ; car les yeux sont les interprètes du cœur ; mais il n'y a que celui qui y a intérêt qui entend leur langage.

L'homme seul est quelque chose d'imparfait ; il faut qu'il trouve un second pour être heureux. Il le cherche le plus souvent dans l'égalité de la condition, à cause que la liberté et que l'occasion de se manifester s'y rencontrent plus aisément. Néanmoins l'on va quelquefois bien au-dessus, et l'on sent le feu s'agrandir, quoique l'on n'ose pas le dire à celle qui l'a causé.

Quand l'on aime une dame sans égalité de condition, l'ambition peut accompagner le commencement de l'amour ; mais en peu de temps il devient le maître. C'est un tyran qui ne souffre point de compagnon ; il veut être seul ; il faut que toutes les passions ploient et lui obéissent.

Une haute amitié remplit bien mieux qu'une commune et égale : le cœur de l'homme est grand, les petites choses flottent dans sa capacité ; il n'y a que les grandes qui s'y arrêtent et qui y demeurent.

L'on écrit souvent des choses que l'on ne prouve qu'en obligeant tout le monde à faire réflexion sur soi-même, et à trouver la vérité dont on parle. C'est en cela que consiste la force des preuves de ce que je dis.

Quand un homme est délicat en quelque endroit de son esprit, il l'est en amour. Car comme il doit être ébranlé par quelque objet qui est hors de lui, s'il y a quelque chose qui répugne à ses idées, il s'en aperçoit, et il le fuit. La règle de cette délicatesse dépend d'une raison pure, noble et sublime. Ainsi l'on se peut croire délicat, sans qu'on le soit effectivement, et les autres ont droit de nous condamner au lieu que pour la beauté chacun a sa règle souveraine et indépendante de celle des autres. Néanmoins entre être délicat et ne l'être point du tout, il faut demeurer d'accord que, quand on souhaite d'être délicat, l'on n'est pas loin de l'être absolument. Les femmes aiment à apercevoir une délicatesse dans les hommes ; et c'est, ce me semble, l'endroit le plus tendre pour les gagner : l'on est aise de voir que mille autres sont méprisables, et qu'il n'y a que nous d'estimable.

Les qualités d'esprit ne s'acquièrent point par l'habitude, on les perfectionne seulement ; de là, il est aisé de voir que la délicatesse est un don de nature, et non pas une acquisition de l'art.

À mesure que l'on a plus d'esprit, l'on trouve plus de beautés originales ; mais il ne faut pas être amoureux, car quand l'on aime l'on n'en trouve qu'une.

Ne semble-t-il pas qu'autant de fois qu'une femme sort d'elle-même pour se caractériser dans le cœur des autres, elle fait une place vide pour les autres dans le sien ? Cependant j'en connais qui disent que cela n'est pas vrai. Oserait-on appeler cela injustice ? Il est naturel de rendre autant que l'on a pris.

L'attachement à une même pensée fatigue et ruine l'esprit de l'homme. C'est pourquoi, pour la solidité et la durée du plaisir de l'amour, il faut quelquefois ne pas savoir que l'on aime ; et ce n'est pas commettre une infidélité, car l'on n'en aime pas d'autre ; c'est reprendre des forces pour mieux aimer. Cela se fait sans que l'on y pense ; l'esprit s'y porte de soi-même ; la nature le veut ; elle le commande. Il faut pourtant avouer que c'est une misérable suite de la nature humaine, et que l'on serait plus heureux si l'on n'était point obligé de changer de pensée ; mais il n'y a point de remède.

Le plaisir d'aimer sans l'oser dire a ses épines ; mais aussi il a ses douceurs. Dans quel transport n'est-on point de former toutes ses actions dans la vue de plaire à une personne que l'on estime infiniment ? L'on s'étudie tous les jours pour trouver les moyens de se découvrir, et l'on y emploie autant de temps que si l'on devait entretenir celle que l'on aime. Les yeux s'allument et s'éteignent dans un même moment ; et quoique l'on ne voie pas manifestement que celle qui cause tout ce désordre y prenne garde, l'on a néanmoins la satisfaction de sentir tous ces remuements pour une personne qui le mérite si bien. L'on voudrait avoir cent langues pour se faire connaître ; car, comme l'on ne peut pas se servir de la parole, l'on est obligé de se réduire à l'éloquence d'action.

Jusque-là on a toujours de la joie, et l'on est dans une assez grande occupation. Ainsi l'on est heureux ; car le secret d'entretenir toujours une passion, c'est de ne pas laisser naître aucun vide dans l'esprit, en l'obligeant de s'appliquer sans cesse à ce qui le touche si agréablement. Mais quand il est dans l'état que je viens de décrire, il n'y peut pas durer longtemps, à cause qu'étant seul acteur dans une passion où il en faut nécessairement deux, il est difficile qu'il n'épuise bientôt tous les mouvements dont il est agité.

Quoique ce soit une même passion, il faut de la nouveauté ; l'esprit s'y plaît, et qui sait se la procurer sait se faire aimer.

Après avoir fait ce chemin, cette plénitude quelquefois diminuée, et ne recevant point de secours du côté de la source, l'on décline misérablement, et les passions ennemies se saisissent d'un cœur qu'elles déchirent en mille morceaux. Néanmoins un rayon d'espérance, si bas que l'on soit, relève aussi haut que l'on était auparavant. C'est quelquefois un jeu auquel les dames se plaisent ; mais quelquefois en faisant semblant d'avoir compassion, elles l'ont tout de bon. Que l'on est heureux quand cela arrive !

Un amour ferme et solide commence toujours par l'éloquence d'action ; les yeux y ont la meilleure part. Néanmoins il faut deviner, mais bien deviner.

Quand deux personnes sont de même sentiment, elles ne devinent point, ou du moins il y en a une qui devine ce que veut dire l'autre sans que cette autre l'entende ou qu'elle ose l'entendre.

Quand nous aimons, nous paraissons à nous-mêmes tout autres que nous n'étions auparavant. Ainsi nous nous imaginons que tout le monde s'en aperçoit ; cependant il n'y a rien de si faux. Mais parce que la raison a sa vue bornée par la passion, l'on ne peut s'assurer, et l'on est toujours dans la défiance.

Quand l'on aime, on se persuade que l'on découvrirait la passion d'un autre : ainsi l'on a peur.

Tant plus le chemin est long dans l'amour, tant plus un esprit délicat sent de plaisir.

Il y a de certains esprits à qui il faut donner longtemps des espérances, et ce sont les délicats. Il y en a d'autres qui ne peuvent pas résister longtemps aux difficultés, et ce sont les plus grossiers. Les premiers aiment plus longtemps et avec plus d'agrément, les autres aiment plus vite, et avec plus de liberté, et finissent bientôt.

Le premier effet de l'amour c'est d'inspirer un grand respect ; l'on a de la vénération pour ce que l'on aime. Il est bien juste : on ne reconnaît rien au monde de grand comme cela.

Les auteurs ne nous peuvent pas bien dire les mouvements de l'amour de leurs héros : il faudrait qu'ils fussent héros eux-mêmes.

L'égarement à aimer en plusieurs endroits est aussi monstrueux que l'injustice dans l'esprit.

En amour un silence vaut mieux qu'un langage. Il est bon d'être interdit ; il y a une éloquence de silence qui pénètre plus que la langue ne saurait faire. Qu'un amant persuade bien sa maîtresse quand il est interdit, et que d'ailleurs il a de l'esprit ! Quelque vivacité que l'on ait, il est des rencontres où il est bon qu'elle s'éteigne. Tout cela se passe sans règle et sans réflexion ; et quand l'esprit le fait, il n'y pensait pas auparavant. C'est par nécessité que cela arrive.

L'on adore souvent ce qui ne croit pas être adoré, et on ne laisse pas de lui garder une fidélité inviolable, quoiqu'il n'en sache rien. Mais il faut que l'amour soit bien fin et bien pur.

Nous connaissons l'esprit des hommes, et par conséquent leurs passions, par la comparaison que nous faisons de nous-mêmes avec les autres.

Je suis de l'avis de celui qui disait que dans l'amour on oubliait sa fortune, ses parents et ses amis : les grandes amitiés vont jusque-là. Ce qui fait que l'on va si loin dans l'amour, c'est qu'on ne songe pas qu'on aura besoin d'autre chose que de ce que l'on aime : l'esprit est plein ; il n'y a plus de place pour le soin ni pour l'inquiétude. La passion ne peut pas être belle sans cet excès ; de là vient qu'on ne se soucie pas de ce que dit le monde que l'on sait déjà ne devoir pas condamner notre conduite, puisqu'elle vient de la raison. Il y a une plénitude de passion, il ne peut pas y avoir un commencement de réflexion.

Ce n'est point un effet de la coutume, c'est une obligation de la nature, que les hommes fassent les avances pour gagner l'amitié d'une dame.

Cet oubli que cause l'amour, et cet attachement à ce que l'on aime, fait naître des qualités que l'on n'avait pas auparavant. L'on devient magnifique, sans jamais l'avoir été. Un avaricieux même, qui aime, devient libéral ; et il ne se souvient pas d'avoir jamais eu une habitude opposée. L'on en voit la raison en considérant qu'il y a des passions qui resserrent l'âme et qui la rendent immobile, et qu'il y en a qui l'agrandissent et la font répandre au dehors.

L'on a ôté mal à propos le nom de raison à l'amour, et on les a opposés sans un bon fondement, car l'amour et la raison n'est qu'une même chose. C'est une précipitation de pensées qui se porte d'un côté sans bien examiner tout, mais c'est toujours une raison, et l'on ne doit et on ne peut souhaiter que ce soit autrement, car nous serions des machines très désagréables. N'excluons donc point la raison de l'amour, puisqu'elle en est inséparable.

Les poètes n'ont donc pas eu raison de nous dépeindre l'amour comme un aveugle ; il faut lui ôter son bandeau, et lui rendre désormais la jouissance de ses yeux.

Les âmes propres à l'amour demandent une vie d'action qui éclate en événements nouveaux. Comme le dedans est mouvement, il faut aussi que le dehors le soit, et cette manière de vivre est un merveilleux acheminement à la passion. C'est de là que ceux de la cour sont mieux reçus dans l'amour que ceux de la ville, parce que les uns sont tout de feu et que les autres mènent une vie dont l'uniformité n'a rien qui frappe : la vie de tempête surprend, frappe et pénètre.

Il semble que l'on ait toute une autre âme quand on aime que quand on n'aime pas ; on s'élève par cette passion, et on devient toute grandeur ; il faut donc que le reste ait proportion ; autrement cela ne convient pas, et partant cela est désagréable.

L'agréable et le beau n'est que la même chose, tout le monde en a l'idée. C'est d'une beauté morale que j'entends parler, qui consiste dans les paroles et dans les actions de dehors. L'on a bien une règle pour devenir agréable ; cependant la disposition du corps y est nécessaire ; mais elle ne se peut acquérir.

Les hommes ont pris plaisir à se former une idée de l'agréable si élevée, que personne n'y peut atteindre. Jugeons-en mieux, et disons que ce n'est pas le naturel, avec une facilité et une vivacité d'esprit qui surprennent. Dans l'amour ces deux qualités sont nécessaires : il ne faut rien de forcé, et cependant il ne faut point de lenteur. L'habitude donne le reste.

Le respect et l'amour doivent être si bien proportionnés qu'ils se soutiennent sans que ce respect étouffe l'amour.

Les grande âmes ne sont pas celles qui aiment le plus souvent, c'est d'un amour violent que je parle : il faut une inondation de passion pour les ébranler et pour les remplir. Mais quand elles commencent à aimer, elles aiment beaucoup mieux.

L'on dit qu'il y a des nations plus amoureuses les unes que les autres ; ce n'est pas bien parler, ou du moins cela n'est pas vrai en tout sens. L'amour ne consistant que dans un attachement de pensée, il est certain qu'il doit être le même par toute la terre. Il est vrai que, se terminant autre part que dans la pensée, le climat peut ajouter quelque chose, mais ce n'est que dans le corps.

Il est de l'amour comme du bon sens : comme l'on croit avoir autant d'esprit qu'un autre, on croit aussi aimer de même. Néanmoins quand on a plus de vue, l'on aime jusqu'aux moindres choses, ce qui n'est pas possible aux autres ; il faut être bien fin pour remarquer cette différence.

L'on ne peut presque faire semblant d'aimer que l'on ne soit bien près d'être amant, ou du moins que l'on aime en quelque endroit ; car il faut avoir l'esprit et la pensée de l'amour pour ce semblant, et le moyen d'en bien parler sans cela ? La vérité des passions ne se déguise pas si aisément que les vérités sérieuses. Il faut du feu, de l'activité et un jeu d'esprit naturel et prompt pour la première : les autres se cachent avec la lenteur et la souplesse, ce qu'il est plus aisé de faire.

Quand on est loin de ce que l'on aime, l'on prend la résolution de faire et de dire beaucoup de choses ; mais quand on est près, on est irrésolu ; d'où vient cela ? C'est que quand on est loin la raison n'est pas si ébranlée, mais elle l'est étrangement à la présence de l'objet ; or, pour la résolution il faut de la fermeté, qui est ruinée par l'ébranlement.

Dans l'amour on n'ose hasarder, parce que l'on craint de tout perdre ; il faut pourtant avancer, mais qui peut dire jusqu'où ? L'on tremble toujours jusqu'à ce que l'on ait trouvé ce point. La prudence ne fait rien pour s'y maintenir quand on l'a trouvé.

Il n'y a rien de si embarrassant que d'être amant et de voir quelque chose en sa faveur sans l'oser croire :

l'on est également combattu de l'espérance et de la crainte. Mais enfin, la dernière devient victorieuse de l'autre.

Quand on aime fortement, c'est toujours une nouveauté de voir la personne aimée ; après un moment d'absence, on la trouve de manque dans son cœur. Quelle joie de la retrouver ! l'on sent aussitôt une cessation d'inquiétudes. Il faut pourtant que cet amour soit déjà bien avancé ; car quand il est naissant et que l'on n'a fait aucun progrès, l'on sent bien une cessation d'inquiétudes, mais il en survient d'autres.

Quoique les maux succèdent ainsi les uns aux autres, on ne laisse pas de souhaiter la présence de sa maîtresse par l'espérance de moins souffrir ; cependant quand on la voit, on croit souffrir plus qu'auparavant. Les maux passés ne frappent plus, les présents touchent, et c'est sur ce qui touche que l'on juge. Un amant dans cet état n'est-il pas digne de compassion ?

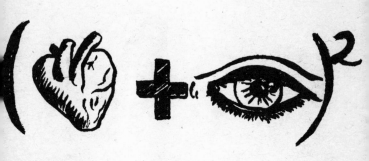

# Le corps, l'esprit, le cœur

Le *Discours sur les passions de l'amour* est-il de la main de Pascal ? Rien ne le prouve, sinon une mention portée sur le manuscrit découvert par Victor Cousin en 1843. Les érudits se partagent, depuis cette date, pratiquement à égalité.

Si le *Discours* a été écrit par le futur auteur des *Provinciales*, ce ne peut être que lors de sa « période mondaine », entre 1652 (année où sa sœur Jacqueline entre à Port-Royal) et 1654 (année de la fameuse « conversion », lors de la nuit de feu du 23 novembre). Peut-être le texte résulte-t-il d'une inclination prêtée à

Pascal pour Charlotte de Roannez, la sœur du duc en compagnie duquel il voyage en Poitou à l'automne 1653, accompagné aussi du chevalier de Méré et de Damien Miton. À moins qu'il ne s'agisse de la « belle savante » que fréquenta beaucoup à Clermont, un an auparavant, le jeune physicien prodige. Mais ce ne sont que conjectures.

Le contenu même du texte ne nous éclaire pas davantage. L'amour et l'ambition, présentés ici comme « les passions [...] le plus convenables à l'homme », s'appellent concupiscence et orgueil dans les *Pensées*, où notre « instinct impuissant de bonheur » n'est jamais évoqué que pour humilier une conscience étourdie de ses illusions. Quant à la beauté, Pascal ne voudra la chercher que dans la géométrie – ou la médecine –, parce qu'elle consiste dans l'agrément à son objet : raisonnement juste, diagnostic exact. Les charmes féminins ne sont cités qu'à titre d'allégorie péjorative, pour ridiculiser l'idée même de beauté poétique : un sonnet chargé d'afféteries ressemble à une coquette affublée de pendeloques et trop maquillée, à une « reine de village ». Bref, on sait en quel mépris Pascal tient le « je ne sais quoi » cornélien, ce sentiment qui mérite si peu de gouverner le monde : le nez de Cléopâtre, s'il eût été plus court... Nul doute, donc, que la tonalité résolument humaine du *Discours* ne soit aux antipodes de ce « pessimisme agressif[1] » développé par l'auteur des *Pensées*, mais aussi par La Rochefoucauld dans ses *Maximes*.

En plus d'un endroit, le *Discours* fait pourtant écho à celles-ci ; ainsi de l'« éloquence d'action » des amoureux[2], ainsi encore du besoin incessant d'« éléments nouveaux[3] ». Le plus souvent, toutefois, les thèmes du *Discours* que l'on retrouve chez La Rochefoucauld sont traités d'une encre plus noire : « À force de parler d'amour, on devient amoureux », dit l'un ; il y a des gens qui n'auraient jamais été amoureux s'ils n'avaient jamais entendu parler de l'amour[4], ironise le duc. « Il faut de la nouveauté », affirme l'auteur du *Discours* ; « la constance en amour est une inconstance perpétuelle, qui fait que notre cœur s'attache successivement à toutes les qualités de la personne que nous aimons[5] », précisera le moraliste, qui ajoute encore : « La violence qu'on se fait pour demeurer fidèle à ce qu'on aime ne vaut donc guère mieux qu'une infidélité[6]. »

On a voulu voir dans ces correspondances (ces emprunts ?) un argument contre l'attribution du *Discours* à Pascal : le texte serait forcément postérieur à la publication des *Maximes*, en 1665. Mais les « questions d'amour » posées dans les deux textes, et dont l'on débattait à l'envi dans les salons de Mme de Sablé (fréquenté par Pascal), dans l'entourage de Mlle de Scudéry ou de Mme de Lafayette, sont surtout caractéristiques de la grande préoccupation de l'époque :

l'homme est-il « grand » ou « misérable » ? Les parti-
sans de la première réponse se recrutent parmi les
précieux, mais aussi chez certains dévots qui ne
renoncent pas à concilier l'humanisme de la Renais-
sance avec l'humilité chrétienne. Honoré d'Urfé et
François de Sales – qui se rencontrèrent – défendirent
chacun à leur manière l'idéal aristocratique de
l'héroïsme et du « sublime ». C'est précisément cette
croyance en une aptitude innée à la vertu – du moins
chez les âmes bien nées – que s'attachent à ruiner
aussi bien la morale décapante du duc que la terrible
argumentation janséniste, véritable machine de guerre
contre l'optimisme. L'amour n'est qu'une flatterie que
l'on s'adresse à soi-même, un mensonge soufflé par
l'amour-propre. La misère de l'homme, c'est de n'être
pas complet, de chercher au-dehors ce qui comblera
l'inanité du dedans. En vain, dit Pascal, car « il ne
pourrait par sa nature aimer une autre chose, sinon
pour soi-même et se l'asservir ». À l'incessant besoin
de « remuement » évoqué au début du *Discours*
répond le passage célèbre sur le malheur de ne pas
savoir rester en repos dans une chambre.

Comment le vrai croyant pourrait-il distinguer un
être de tous les autres, quand toutes les créatures lui
paraissent égales dans le péché et dans les chances de
salut ? Seule la grâce, dont l'amour humain n'est
qu'un faux-semblant, peut racheter l'individu…

Le renversement de valeurs que représentent les œuvres majeures de Pascal par rapport à l'idéal humaniste du *Discours* ne suffit pourtant pas à lui en refuser la paternité. Loin de la forme construite et organisée que laisserait présager son titre, le *Discours* se présente comme un entrelacs de thèmes laissés et repris, comme un arsenal d'arguments où l'on se réserverait de puiser. Une architecture du discontinu qui se rattache à l'esthétique de la maxime, mais aussi à la composition fragmentée des *Pensées*…

Le *Discours* s'intéresse d'ailleurs moins à l'amour qu'à ses effets : les mécanismes subtils du sentiment, les poids et contrepoids de nos inclinations, les jeux du vide et de la plénitude, la dialectique du dehors et du dedans y sont analysés comme on résout un problème de physique. L'accent, comme dans les *Pensées*, est mis sur les souffrances d'un état instable en permanence, où grandeur et misère, bonheur et malheur, espoir et désespoir se mêlent à l'infini. Il n'est pas indifférent que les « passions de l'amour » soient présentées avec insistance, dans le *Discours*, comme une émanation de la raison, cette même raison dont Pascal s'attachera à montrer les contradictions et l'impuissance, en termes finalement très similaires.

Et si cette force agissante de l'âme, cet élan qui nous tire hors de nous-mêmes, était un moyen de nous élever progressivement du corps à l'esprit, pour préparer l'ultime passage de l'esprit à la charité ? « Nous connaissons la vérité non seulement par la raison mais encore par le cœur[7]. » L'amant tout occupé de l'objet de ses vœux préfigurerait alors, en un sens, le croyant uniquement préoccupé de son Dieu.

JÉRÔME VÉRAIN

1. Selon l'expression de Paul Bénichou, in *Morales du grand siècle*, Gallimard, Folio Essais, p. 128.
2. La Rochefoucauld, *Réflexions ou Sentences et maximes morales*, maxime 249, Gallimard, collection Folio.
3. *Ibid.*, maxime 75.
4. *Ibid.*, maxime 136.
5. *Ibid.*, maxime 175.
6. *Ibid.*, maxime 381.
7. *Pensées*, fragment 101, Gallimard, collection Folio.

# Vie de Blaise Pascal

**19 juin 1623.** Naissance de Blaise Pascal, dans une famille de magistrats, à Clermont, en Auvergne. Il a deux sœurs, Gilberte, née en 1620, qui épousera son cousin Florin Périer, conseiller à la cour des aides de Clermont, et Jacqueline, née en 1625, qui entrera dans les ordres en 1652.

**1626.** Mort de sa mère, Antoinette Bégon.

**1631.** Son père, Étienne Pascal, résigne ses fonctions de second président à la cour des aides de Clermont et s'établit à Paris avec ses enfants.

**1634.** Blaise Pascal écrit un *Traité sur les sons*.

**1639.** Étienne Pascal reçoit la charge de commissaire pour l'impôt en Haute-Normandie.

**1640.** Installation de la famille Pascal à Rouen. Blaise Pascal publie son *Essai pour les coniques*. Parution posthume, la même année, de l'*Augustinus* de Jansénius.

**1642.** Pour aider son père dans ses calculs, Blaise Pascal invente sa *machine d'arithmétique*, qui sera adressée en 1645 au chancelier Séguier.

**1646.** Après la lecture des écrits de Saint-Cyran, de Jansénius et d'Arnault, la famille se rapproche du christianisme. C'est la « première conversion » de Blaise Pascal. Le père et le fils Pascal, avec Pierre Petit, reproduisent les expériences de Torricelli sur le vide.

**1647.** Avec sa sœur Jacqueline, Blaise Pascal se fixe à Paris, où Descartes lui rend visite. Parution des *Expériences nouvelles touchant le vide*, chez Margat, à Paris.

**1648.** Blaise et Jacqueline Pascal entrent en relation avec le monastère de Port-Royal. Parution du *Récit de la grande expérience de l'équilibre des liqueurs*, chez Savreux, à Paris.

**1649.** Obtention du privilège royal pour la machine d'arithmétique.

**1651.** Blaise Pascal compose un *Traité du vide* (dont nous n'avons hérité que d'un fragment), *De l'équilibre des liqueurs* et *De la pesanteur de la masse de l'air*. Mort d'Étienne Pascal en septembre. *Lettre de Pascal aux Périer sur la mort de leur père*.

**1652.** L'entrée de Jacqueline à l'abbaye de Port-Royal provoque des disputes fraternelles. Pascal commence à fréquenter les milieux mondains, notamment chez la duchesse d'Aiguillon et le duc de Roannez.

**1653.** Cinq propositions de Jansénius sont condamnées par une bulle d'Innocent X. Voyage de Blaise Pascal en Poitou avec le duc de Roannez, Méré et Miton. C'est à cette époque qu'auraient été conçues, sinon le texte (qui n'est peut-être pas de la main de Pascal) du moins les idées et maximes du *Discours sur les passions de l'amour* (retrouvé, en 1843, par Victor Cousin).

**1654.** Blaise Pascal fait preuve d'une grande activité scientifique. Il écrit le *Traité du triangle arithmétique* et correspond avec Fermat sur le sujet des probabilités et de la « géométrie du hasard ». Pris de dégoût pour le monde, Blaise Pascal se rapproche de sa sœur, à qui il rend fréquemment visite. C'est aussi l'époque de sa « seconde conversion ». Date présumée de la rédaction de la *Conversion du pécheur*.

**1655.** Première retraite à Port-Royal-des-Champs, où Pascal fera par la suite d'autres brefs séjours. Probablement à cette date, il rédige la *Comparaison des chrétiens des premiers temps avec ceux d'aujourd'hui*, ainsi que l'*Abrégé de la vie de Jésus-Christ*. La polémique entre jésuites et jansénistes s'envenime : Arnault est déféré à la Faculté de théologie de Paris.

**1656.** Poussé par ses amis à s'engager dans la querelle des cinq propositions, Blaise Pascal publie dix-huit lettres successives, les *Provinciales*, « sur le sujet des disputes présentes de la Sorbonne ».

**1657.** Époque vraisemblable de la rédaction de l'opuscule *De l'esprit géométrique*, à la demande d'Arnault, et des *Écrits sur la grâce*.

**1658.** Pascal présente son apologie du christianisme lors d'une conférence à Port-Royal. Il procède à la constitution de liasses de notes prises en vue de la rédaction de son ouvrage *Vérité sur la religion chrétienne*. Dans le même temps, il fait des recherches sur la cycloïde, qu'il nomme bientôt *roulette*, et à laquelle il consacre une *Histoire* dont d'Alembert écrira qu'elle est « un prodige de sagacité et de pénétration ». Il collabore aux écrits des curés de Paris pour faire condamner l'*Apologie pour les casuistes* écrite par un père jésuite.

**1659.** Pascal adresse à Huyghens une *Lettre sur la dimension des lignes courbes*. Il est malade depuis plusieurs mois, et son activité est très ralentie. Composition de sa *Prière pour demander à Dieu le bon usage des maladies*.

**1660.** Séjour de Pascal au château de Bien-Assis, chez les Périer, en Auvergne, où il commence à rédiger ses *Pensées*. De retour à Paris, il entreprend les trois *Discours sur la condition des Grands* (rédigés et publiés par Nicole en 1670).

**1661.** Année marquée par les polémiques autour de la signature du Formulaire par lequel le clergé de France doit accepter la condamnation des cinq propositions. Date présumée de l'*Écrit sur la signature du Formulaire*. Port-Royal ayant fini par céder, Pascal préfère se retirer des disputes et se consacrer à Dieu. Mort de Jacqueline en octobre.

**1662.** Inauguration des lignes de carrosses à cinq sols, auxquels Pascal a contribué avec le duc de Roannez. De plus en plus malade, Pascal se fait transporter chez sa sœur Gilberte Périer en juin. Il y meurt religieusement le 19 août.

# Repères bibliographiques

Ouvrages de Blaise Pascal
- ◆ *De l'esprit géométrique. Entretien avec M. de Sacy*, Flammarion, 1985.
- ◆ *Pensées*, Seuil, collection Points, 1978.
- ◆ *Œuvres complètes*, Gallimard, collection La Pléiade, 1936.
- ◆ *Œuvres complètes*, éd. Jean Mesnard, 6 vol., Desclée de Brouwer.
- ◆ *Pensées sur la politique. Trois discours sur les conditions des Grands*, Rivages, 1992.
- ◆ *Les Provinciales*, Gallimard, collection Folio, 1987.

Études sur Blaise Pascal
- ◆ BÉNICHOU (Paul), *Morales du grand siècle*, Gallimard, collection Folio Essais, 1948.
- ◆ BÉGUIN (Albert), *Pascal*, Le Seuil, collection Écrivains de toujours, 1952.
- ◆ ELLENBERGER (Michel), *La Machine à calculer de Blaise Pascal*, Nathan, collection Monde en Poche, 1993. (Pour enfants.)
- ◆ FERREYROLLES (Gérard), *Blaise Pascal : les* Provinciales, PUF, collection Études littéraires, 1984.
- ◆ GOUHIER (Henri), *Blaise Pascal : conversion et apologétique*, Vrin, collection Bibliothèque d'histoire de la philosophie, 1985.
- ◆ MOURLEVAT (G.), *Les Machines arithmétiques de Blaise Pascal*, Française d'édition et d'imprimerie, collection Mémoires de l'Académie des sciences, belles-lettres et arts de Clermont-Ferrand, 1989.
- ◆ RUHLA (Charles), *La Physique du hasard de Blaise Pascal à Niels Bohr*, Hachette-Classiques, collection Liaisons scientifiques, Éditions du CNRS, 1989.
- ◆ VIRCONDELET (Alain), *Le Roman de Jacqueline et Blaise Pascal : la nuit de feu*, Flammarion, 1989.

*Mille et une nuits* propose des chefs-d'œuvre pour le temps
d'une attente, d'un voyage, d'une insomnie…

## Dans la même collection

Pour chaque titre, le texte intégral, une postface,
la vie de l'auteur et une bibliographie.

Achevé d'imprimer en décembre 1994,
sur papier recyclé Ricarta-Pigna par G. Canale & C. SpA (Turin)